KB171440

Coloring Book : HOUSE INTERIOR I

발 행 | 2024년 2월 26일
저 자 | Sophie
펴낸이 | 한건희
펴낸곳 | 주식회사 부크크
출판사등록 | 2014.07.15.(제2014-16호)
주 소 | 서울특별시 금천구 가산디지털1로 119 SK트윈타워 A동 305호
전 화 | 1670-8316
이메일 | INFO@BOOKK.CO.KR
ISBN | 979-11-410-7370-1
WWW.BOOKK.CO.KR